Un verano junto al mar

Georgina Lázaro
Ilustraciones de Rudy Gutiérrez

HAMPTON-BROWN

¿Lo sabías?

Puerto Rico es una isla en el mar Caribe.

Puerto Rico

San Juan es la capital de Puerto Rico.

San Juan

Cabo Rojo

Cabo Rojo es un pueblo pintoresco rodeado de hermosas playas.

La pesca es un deporte popular en Puerto Rico.

Contenido

. ~~~~ .

Para mi abuela Gina.

— *Georgina Lázaro*

. ~~~~ .

¡Qué regalo!

¡No lo podía creer!

Era el día de mi cumpleaños.
(Eso sí lo podía creer.) Mi mamá
había hecho mi bizcocho favorito:
de chocolate. ¡Mmm, qué rico!
(Eso también lo podía creer.)

Lo que no podía creer era el
regalo que me había dado mi papá.

Me dio un abrazo y me entregó
un sobre.

—Adivina —me dijo.

Cerré los ojos y traté de adivinar:

—Una tarjeta de pelota . . . ¡la de
Roberto Clemente!

Mi papá dijo que no con la cabeza.

—¡Entradas para el juego de
baloncesto! —intenté otra vez.

De nuevo dijo que no.

—¿Un billetito de $20 . . . de
$50? —pregunté.

Mi papá seguía diciendo que no.
Mis hermanas, Gladys y Mili,
esperaban ansiosas a que abriera
el sobre.

Y mi mamá sonreía como si ya
supiera. ¡Claro que sabía!

Cuando abrí el sobre, vi que era un papel con muchos números.

—Gracias —dije, más soso que un huevo sin sal—. ¿Qué es?

—Es un boleto de avión. ¡Vas a viajar a Puerto Rico! —exclamó mi mamá, dándome un beso.

Tenía en la mano el boleto de avión. Lo miré un buen rato sin decir nada. No lo podía creer.

Claro que me emocionaba viajar a Puerto Rico. Conocería a mis primos y volvería a ver a mis abuelos. ¡Viajaría en avión por primera vez! Y no iría solo. Mi madrina me acompañaría.

Sólo una cosa me preocupaba. ¿Qué haría yo en un lugar rodeado de tanto mar?

En la familia de mis papás había muchos pescadores. Vivían en la playa y siempre estaban en el mar.

Pero a mí eso no me llamaba mucho la atención. A mí me gustaba tener los pies firmes sobre la tierra.

—Verás qué linda es mi islita
—dijo mi mamá, y cantó: "una
esmeralda sobre la mar . . .".

—Fui tan feliz allí —suspiró mi
papá—. Caminábamos descalzos por
la arena. Pescábamos, nadábamos . . .
¡Ya verás lo mucho que vas a gozar!

Pasaron los días, y pronto llegó la hora de preparar mi maleta. Gladys me ayudó. Estábamos a punto de terminar cuando mi mamá entró al cuarto cantando:

—"En el mar la vida es más sabrosa . . .". ¡Sorpresa, Éduar! ¡Un traje de baño nuevo para ti!

—¡Fui, fuiuuu! —pitó Gladys—.
Ya te veo sobre las olas.

—¿Tú me ves sobre las olas? ¡Ja!
Yo me veo debajo de ellas —contesté.

—Ay, Eduardo, tú siempre con tus
bromas —dijo mi mamá.

—No es broma, mami. ¿Ya se te
olvidó aquel susto que pasé el verano
pasado? —le pregunté—. ¿Aquella
ola que me tumbó y me revolcó?
¿Qué haré rodeado de tanta agua allá
en Puerto Rico?

Mi mamá me abrazó riéndose y
me dijo muy bajito:

—No te preocupes. Cuando estés
allá, sentirás que el mar te llama.

—Y yo le contestaré: "Lo siento.
Ha marcado un número equivocado".

Por fin llegó el día tan esperado.
Entre besos y consejos llegamos
al aeropuerto. Y allí, más besos
y consejos:

    —Ayuda a tu abuela.

    —No olvides decir "gracias".

    —Come bien; pruébalo todo.

    —Mucho cuidado con el sol
del mediodía.

El viaje en avión fue divertido. En un abrir y cerrar de ojos ya se veía la isla: "una esmeralda sobre la mar", como canta mi mamá.

Para mi sorpresa, al aterrizar todos los pasajeros aplaudieron, bien contentos. Yo también aplaudí.

¡Qué emoción! Sentía mariposas en el estómago.

¡Bienvenido!

Al bajar del avión, pasé por un túnel que parecía un gusano enorme. Entonces mi madrina y yo recogimos las maletas y nos fuimos a buscar a los abuelos.

Fue rico abrazarlos otra vez. Hasta mis primos habían venido a recibirnos. También estaba Rosa, la hermana de mi madrina.

—¡Pero qué grande estás, mi'jito! —exclamó mi abuela.

—Tienes la misma cara de tu papá —me dijo con un apretón mi abuelo. Y mirando a mi abuela insistió—: Si no hay más que verlo, Ana. No le hace que haya nacido por allá. Es un Santiago puro y pinto como nosotros.

Nos despedimos de mi madrina. Ella se quedaba en San Juan. Mi abuela me acercó a mis primos.

—Mira, Eduardo, éstos son María Cristina y José Antonio.

—¡Hola! Estábamos locos por conocerte —dijo José Antonio.

Viajamos en carro hasta la casa de mis abuelos. No es tan pequeña la isla. Tardamos tres horas en llegar a Cabo Rojo.

Durante el viaje, José Antonio no dejaba de hablar. Tenía un montón de planes.

Que si iríamos a pescar de fondo. Que si iríamos a nadar a Los Pozos. Que si iríamos a cazar jueyes por la noche.

—¿Jueyes? —pregunté.

José Antonio miró hacia abuelo para que me explicara.

—Son cangrejos —contestó abuelo—. Se cazan de noche. Los alumbras con una linterna. Ellos se confunden y los atrapas.

—Sí, así es —afirmó José Antonio, y siguió con los planes: caminaríamos hasta el faro . . . Que si patatín, que si patatán. Y así estuvo todo el viaje.

Al llegar, abuelo estacionó el
carro lejos de las palmas, para que
no le fuera a caer un coco encima.

Sentí una brisa fresca y oí un
sonido como de muchos pajaritos.
Abuela me dijo que así canta el
coquí. Es un animal como una
ranita muy chiquitita.

Afuera estaba oscuro como boca
de lobo. Pero el cielo estaba llenito
de estrellas.

Entramos a la casa. Era pequeñita y estaba muy limpia.

—Ven, mi'jo, vamos a comer algo. Debes estar hambriento —me dijo abuela.

—¡Mmm! ¡Arroz con pollo! Papi dice que el que tú preparas es el mejor —le dije.

A la hora de dormir, abuela me acompañó al cuarto.

—Abuela, ¿por qué será que aquí hay tantas estrellas? —le pregunté.

—Las estrellas son las mismas en todas partes —dijo—. Pero las luces de la ciudad no dejan que se vean.

—¡Ah! ¿Y siempre es tan oscuro allá afuera, abuela?

—Bueno, mi'jito, cuando hay luna es más claro. Pero así, oscurito, es mejor para dormir.

—¿Y nunca deja de sonar el mar?

—No, mi'jito, pero dentro de unos días ni lo vas a notar.

—Abuela, ¿y el mar nunca llega aquí adentro?

—¡Pues, claro que no, Eduardo! Ya lo verás mañana. Es un mar tranquilo y hermoso.

—Abuela, ¿tú sabes nadar?

—Sí. ¿Tú no?

—No, abuela, no sé.

—Ah, pues pronto vas a aprender —me aseguró.

—Pero no me gusta —dije.

—¿Cómo lo sabes si no lo
has tratado?

—Sí traté. Pero no nadé en el
mar. El mar nadó dentro de mí.

—¡Ay, mi'jo, qué cosas tienes!
Verás qué fácil vas a aprender.

Y me dio un beso, apagó la luz
y se fue. ¡Si tuviera razón abuela!

Entre la arena y el mar

—Ven, Eduardo, vamos a nadar
—llamó la mañana siguiente
José Antonio.

—Es que le dije a abuela . . .

—Vete, mi'jito, no te preocupes
—dijo abuela—. Ponte el traje de
baño. Aprovecha y ve a jugar con
tus primos. Después me ayudas a
recoger los mangós.

Salí de la casa. Afuera estaban también María Cristina y Rafael, su hermanito. No quedó más remedio. Me puse mi traje de baño y me fui al mar con ellos.

María Cristina y José Antonio se echaron a correr hacia el agua. Rafael se sentó a la orilla, con su pala y su cubo.

—Siéntate aquí conmigo —me dijo Rafael, y enseguida me preguntó—: ¿Quieres hacer un castillo conmigo?

Rafael ya estaba empezando a sacar arena con su palita.

—¡Ven al agua con nosotros! —me gritó María Cristina.

—¡Ven, Eduardo, está buena! —me llamó José Antonio, con el agua al cuello.

Por un momento me sentí confundido con tantas invitaciones. Pero sabía lo que *no* quería hacer. Por eso les contesté desde la arena:

—¡Voy a acompañar a Rafael!

A Rafa le dio tanto gusto que hasta me prestó su pala.

Me quité los zapatos. Al
principio, la arena me picaba, pero
después dejó de molestarme.

Rafael y yo seguimos muy
entretenidos en nuestro proyecto.

Terminé con arena hasta dentro
de las orejas. María Cristina y José
Antonio jugaban en el agua. De
vez en cuando volvían a invitarme
a jugar con ellos.

—¡Ven al agua! —insistía María Cristina—. Por lo menos un ratito para que te saques la arena. Yo salgo a jugar con Rafa.

—¡No, no te vayas! —me suplicaba Rafael—. Quédate a jugar conmigo.

—No te preocupes, Rafael —yo le aseguraba—. Aquí me quedo contigo. Prefiero tener arena en las orejas a tener agua en la nariz.

—¡No, mejor me quedo aquí! —le grité a María Cristina.

Rafael y yo habíamos construido todo un pueblo de arena cuando mis primos al fin salieron del agua. ¡Qué alivio! Yo ya tenía mucha hambre. Me sacudí la arena y nos fuimos a almorzar a la casa.

Después del almuerzo, ayudamos a abuela a recoger los mangós que se habían caído del árbol. Abuela iba a hacer mermelada de mangó. ¡Mmm!

Por la tarde, cuando llegó abuelo del pueblo, María Cristina le pidió que nos llevara a pescar.

—Anda, abue, di que sí —le rogó María Cristina.

—Está bien —contestó abuelo—.
Vamos a preparar la carnada. La
dejaremos lista y esperaremos a que
baje el sol.

Entramos a la cocina, ellos muy
contentos, pero yo un poco nervioso.
Abuela sacó la carnada de la nevera.

—Mira, Eduardo. Tenemos que partir el calamar así, en pedacitos pequeños. Luego lo engancharemos en el anzuelo —dijo José Antonio, como todo un experto.

—¡A mí no me gusta tocar eso tan fuchi! —dijo María Cristina con cara de asco.

Menos mal que ella lo dijo primero. Con mucho gusto le dejé ese trabajito a José Antonio. El calamar ni se veía ni olía bien.

Al atardecer, nos fuimos todos al palmar. Allí es donde abuelo guarda su yola. ¡Es un botecito de madera que parece una cáscara de guineo!

—Ayúdenme a arrastrarla hasta el agua —dijo abuelo—. Ahora suban con cuidado para que no se vire. Ven, Eduardo. Súbete tú primero.

—Eh . . . mmm . . . Es que estoy muy cansado —dije para salvarme.

Mis primos me miraron con cara de "no lo puedo creer".

—Yo voy otro día —les dije, y allí me quedé, en la orilla con abuela y con Rafa. Me hubiera gustado ir. Pero le tenía miedo al agua.

El mar estaba muy tranquilo.
Parecía un espejo azul. El cielo se
veía color de rosa. Me hizo recordar
a mi mamá. Me sentí muy triste.

Mi abuela me miró y no me dijo
nada. Pero me abrazó como sólo
saben hacerlo las abuelas.

El mar me llama

Una mañana, muy tempranito, mi abuelo me invitó a caminar por la playa.

—¿Sabías que desde que nací he vivido frente a este mar? —me iba diciendo—. Mi padre y mi abuelo también nacieron aquí.

—Eran pescadores —continuó—.
Salían a pescar todos los días. Sus
yolas no tenían motor como la mía.
Remaban mar afuera.

Yo lo escuchaba en silencio.

—Regresaban a veces con muchos
peces —continuó—. Otras veces con
pocos. Pero la pesca era su vida.
Pescando criaron a sus hijos.

—¿Y tú, abuelo? —le pregunté.

—Bueno, pescar era mi trabajo —me respondió—, y después trabajé en la carpintería. Siempre me ha gustado trabajar con las manos. Ahora pesco sólo para divertirme. El día que no salgo al mar, me siento raro.

—Ah, pues yo me sentiría raro si saliera al mar —le dije.

—¡Eduardo, qué ocurrencias tienes! —me dijo riendo—. Tú eres un Santiago. Llevas el mar adentro, como los caracoles.

Entonces recogió un caracol muy grande que estaba en la arena y lo acercó a mi oreja.

—Escucha —me dijo.

No podía creer lo que estaba
oyendo. ¡Desde adentro del caracol
sonaba el mar!

Desde ese momento, quise sentir lo que sentía mi abuelo por el mar.

Empecé a dar caminatas por la playa con mi abuelo. Yo iba por la orilla recogiendo caracoles mientras él me contaba cuentos.

Miraba el mar tan azul y la
espuma tan blanca. El agua me
mojaba los pies hasta los tobillos.
Me gustaba sentir el agua tan fresca.

Uno de esos días, me metí en el
agua hasta la cintura.

Mi abuelo me miraba desde la
orilla y me dijo:

—Bájate. Deja que el agua te
llegue al cuello.

Lo hice, y me gustó.

Esa tarde, abuela y yo estábamos
hablando en el balcón.

—Abuela, ¿sabes qué? Ya no me
asusta oír el rumor de las olas.

—Ya lo sabía, mi'jito —contestó.

—Abuela, ¿sabías también que
me está gustando el mar?

—Sí, mi'jo.

—¿Y cómo lo sabías, abuela?
—pregunté.

—Por vieja.

—¿Y qué más sabes?

—¡Ay, bendito! Un montón de
cosas, y otra más —dijo riéndose.

—¿Qué otra cosa sabes, abuela?
—le pregunté.

—Que pronto vas a aprender
a nadar, mi'jito.

La mañana siguiente, salí a la playa a jugar con mis primos.

—¡A que fallas ahora! —me gritó José Antonio al tirarme la pelota.

—¡A que no! —le contesté y corrí hacia atrás para poder alcanzarla. Al atraparla caí sentado y el agua me cubrió por completo.

—¡Uuy! Tengo que aprender a nadar —les grité a mis primos.

—Pues ya estás en el agua —contestó María Cristina—. Ahora dale así a los brazos y a las piernas y trata de alcanzar a José Antonio.

Así empecé. Mis primos siguieron enseñándome. Fue muy divertido practicar cada día. ¡Y al fin aprendí a nadar!

Un Santiago puro y pinto

—¿Les gustaría ir mañana a pescar a la boya? —preguntó abuelo una tarde al regresar del pueblo.

—¡Sí! —dijimos todos a la vez.

—Pues, vamos a preparar todo —dijo abuelo—. A las cinco y media de la mañana tenemos que ir de camino. Hay que sorprender a los peces medio dormidos.

Estaba oscuro cuando nos levantamos la mañana siguiente.

Cuando empezamos a pescar, apenas salía el sol.

—No pican, abuelo —dijo José Antonio, después de mucho rato.

—Hay que saber esperar —le respondió abuelo.

—¿Cuánto hay que esperar? —preguntó al rato María Cristina.

—Hasta que piquen —contestó impaciente José Antonio.

Esperamos calladitos y sin movernos. Después de mucho rato, me cansé de estar sentado. Le pregunté ansioso a mi abuelo:

—¿Y cómo tú sabes que están ahí abajo, abuelo?

—No sé si están ahora. Pero éste es su lugar preferido —me contestó.

—¿Pero cómo lo sabes, abuelo? —seguía dudando.

—Lo sé porque ésta es mi marca. Aquí, cerca de la boya, los he pescado muchas veces —contestó abuelo, muy seguro.

Ya era cerca del mediodía.

—Hace mucho calor. Hay que regresar. Vamos a recoger —dijo abuelo quitándose el sombrero.

Nos miramos desilusionados, pero obedecimos. Como dice abuelo: "Donde manda capitán, no manda marinero".

—Abuelo, ¿puedo dejar mi anzuelo en el agua? —le pregunté—. A lo mejor pesco algo mientras regresamos.

—Ya es muy tarde. No creo que se pegue nada —me contestó.

—Es por si acaso, abue. *¡Please!* —insistí.

Abuelo se echó a reír y contestó:

—Está bien, está bien.

El sol estaba tan caliente que la piel nos ardía. Cuando echó a andar la yola, se sintió una brisa fresca. Yo no despegaba los ojos de mi hilo de pescar.

De pronto sentí un fuerte halón.

—¡Picó uno! —grité emocionado.

Abuelo apagó el motor.

—¿Recuerdas lo que tienes que hacer? —me preguntó abuelo.

—Sí, abuelo, claro. Halar, enrollar; halar, enrollar . . .

El pez pesaba bastante y también peleaba mucho. La caña se doblaba tanto que pensé que se partiría.

—Con calma, Eduardo —me decía abuelo—. No tenemos ninguna prisa.

Y así, como él me había enseñado hacía unos días, lo subí poco a poco, halando y enrollando.

—¡Es un dorado! —exclamó María Cristina, y se acercó.

—¡Uf! ¡Debe pesar como quince libras! —añadió José Antonio, y dio un brinco para verlo mejor.

Entonces la yola se inclinó hacia un lado. Y yo, que estaba tan cerca de la borda, perdí el equilibrio. ¡Me fui de cabeza al agua!

Cuando salí a la superficie no
sentí miedo. Al ver la cara de susto
de todos, me eché a reír. Entonces
le dije a abuelo:

—¡Agarra bien ese pez, abuelo!
¡Y no te preocupes, que yo sé nadar!

—¡Pero mírenlo! —dijo José
Antonio—. Antes, no quería ni
mojarse, ¡y ahora se cree un delfín!

Esa noche la comida fue una fiesta. Abuela puso un mantel y adornó la mesa con flores del jardín.

—¡Qué rico huele, abuela! Y qué hambre tengo —dijo José Antonio al sentarse a la mesa.

—Sí, es que a nosotros los pescadores, el mar nos abre el apetito —añadí bromeando.

—¡Mmm! Está sabroso este dorado al mojo. Pruébalo, Eduardo. —dijo mi abuelo.

—¿Mojo? —pregunté. —¡Será remojo! Como el que yo me di cuando me caí de la yola en medio de la bahía.

Todos se rieron.

—Es "mojo", Eduardo. Así le llamamos a esta salsita de tomates y cebollas —explicó abuela.

—¡Me encantan los tostones! —dije, saboreando los plátanos verdes fritos.

—Bueno, pero lo mejor de todo es el dorado —añadió abuela—. Hay que felicitar al pescador; sacó del mar el más sabroso.

José Antonio pitó. María Cristina
y Rafael aplaudieron. Mis abuelos
me miraron orgullosos. Entonces
me levanté y saludé como si me
quitara un sombrero.

—¿Quieren que les cuente cómo
lo saqué del agua? —pregunté, loco
por contarlo otra vez.

—¡Ay, no, por favor, ni una vez
más! —dijeron todos.

—Mejor cuéntanos cómo te
caíste al agua —interrumpió José
Antonio riéndose.

—¡Ay, no, eso tampoco! —suplicó
María Cristina—. Mira, mejor di
simplemente: "Colorín colorado,
este cuento se ha acabado".

Sobre la autora

Georgina Lázaro nació
en Puerto Rico, donde
el mar siempre está cerca. Le
encanta ir de vacaciones con su familia
a Cabo Rojo, uno de los lugares más
hermosos de la isla. Allí todos
disfrutan nadando, pescando y
caminando descalzos por la arena.